PAN PiES

Tytuł oryginału: *Mr Dog and the Seal Deal*
Tłumaczenie: Ewa Borówka
Redaktorka prowadząca: Anna Kapuścińska
Redakcja: Anna Kapuścińska
Korekta: Jolanta Gomółka
Skład i przygotowanie do druku: Ewa Sosnowska

Pierwsze wydanie: Wielka Brytania,
HarperCollins *Childern's Books*, 2019.

Wydrukowano w Polsce

Wydanie I
Warszawa 2021

ISBN: 978-83-280-8717-0

Grupa Wydawnicza Foksal Sp. z o.o.
02-672 Warszawa, ul. Domaniewska 48
tel. +48 22 826 08 82, fax +48 22 380 18 01
biuro@gwfoksal.pl
www.gwfoksal.pl

PAN PIES

i WYSKOKI FOKI

BEN FOGLE

i Steve Cole

Zilustrował
Nikolas Ilic

Przełożyła
Ewa Borówka

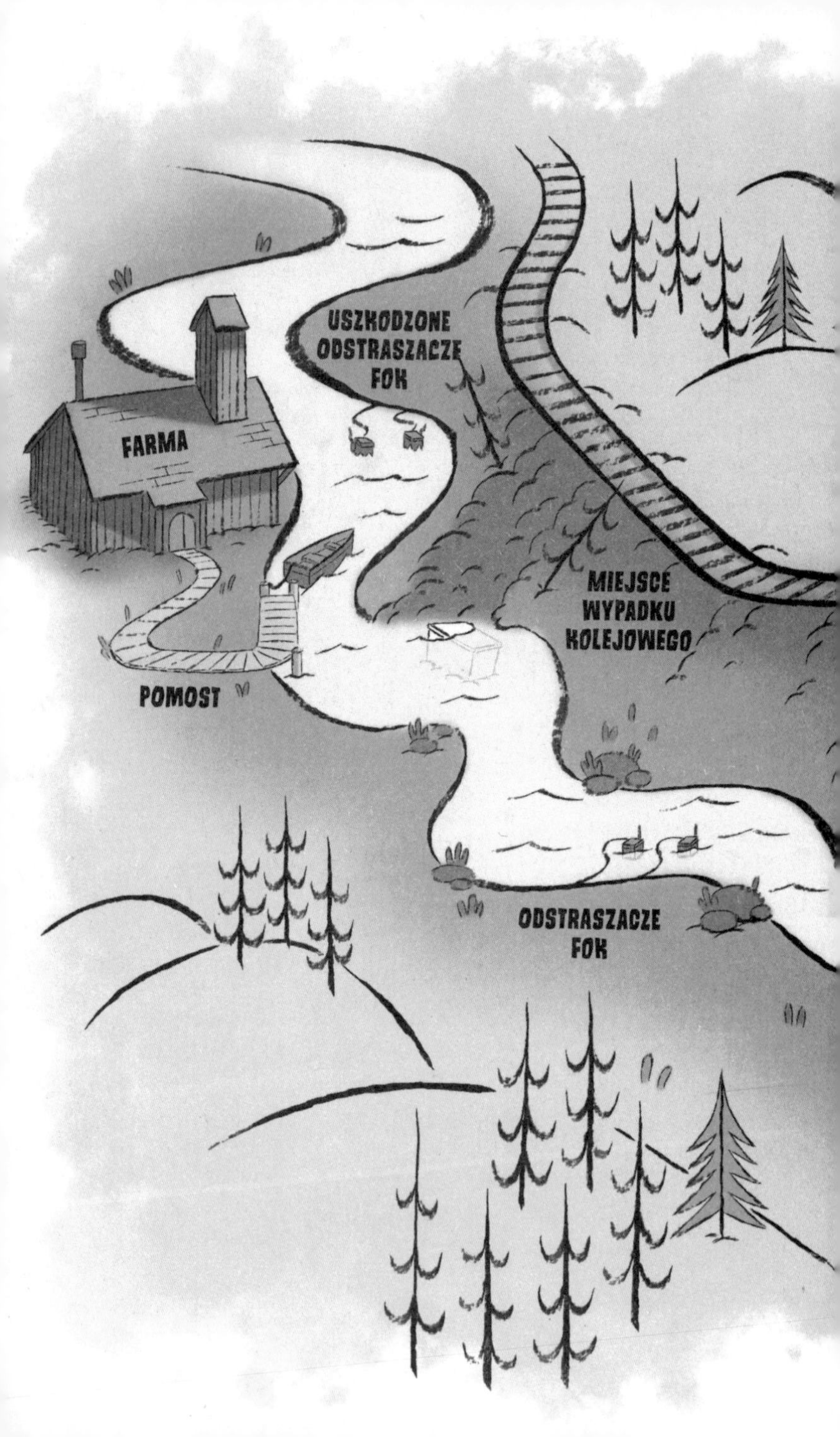
USZKODZONE
ODSTRASZACZE
FOK
FARMA
MIEJSCE
WYPADKU
KOLEJOWEGO
POMOST
ODSTRASZACZE
FOK

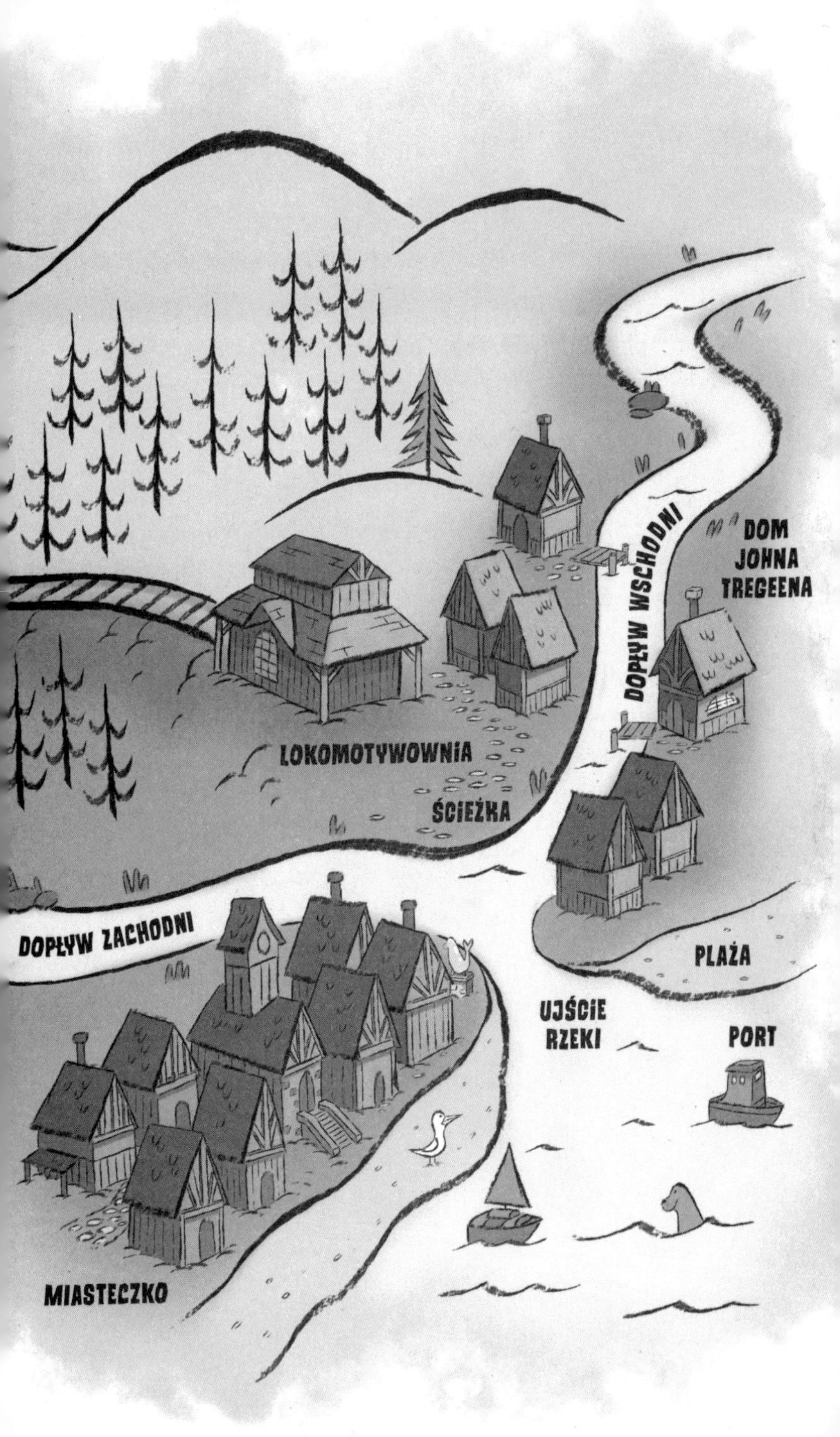
DOM
JOHNA
TREGEENA
DOPŁYW WSCHODNI
LOKOMOTYWOWNIA
ŚCIEŻKA
DOPŁYW ZACHODNI
PLAŻA
UJŚCIE
RZEKI
PORT
MIASTECZKO

O AUTORZE

Ben Fogle jest prezenterem telewizyjnym i wytrawnym poszukiwaczem przygód. Jako współczesny nomada i wędrowny adept sztuk różnych przemierzył ponad sto krajów i dokonał niesłychanych wyczynów: pływał z krokodylami, pokonał kajakiem Ocean Atlantycki, przeszedł Antarktydę i jako rozbitek przeżył rok na jednej z odludnych wysp archipelagu Hebrydy. Ostatnio zaś zdobył Mount Everest. Aha, i wprost uwielbia psy.

Willemowi

Rozdział pierwszy

KIM JEST DITZY?

– Aaa! Życie na falach to coś dla mnie! – Pan Pies stał na pokładzie kutra rybackiego wpływającego z terkotem do portu i wdychał słone morskie powietrze. Na szyi zamiast obroży miał zawiązaną czerwono-białą chusteczkę,

ciemną sierść na jego chuderlawym ciele targał letni wiatr, a jego przednie białe łapy spoczywały na koszu rybackim wypełnionym połowem prosto z oceanu.

– Dobrze, że pozwoliłem rybakom się mną zaopiekować! Tak, bardzo dobrze!

Pan Pies kochał podróże i przygody. Nie miał prawdziwego domu ani wyznaczonego pana czy pani, ale przemieszczając się z miejsca na miejsce, dawał się czasem przygarnąć temu czy owemu. Całkiem niedawno specyficznemu urokowi tego kundelka uległ szyper kutra, John Tregeen. Pan Pies zwrócił się teraz w jego stronę, uniósł kudłate brwi i zamerdał jak

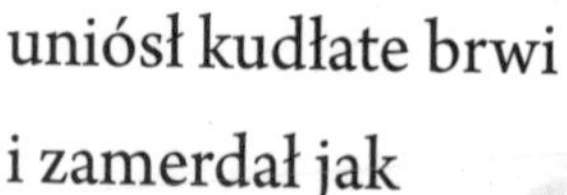

szalony ogonem z nadzieją na jakiś kąsek. Na pokładzie jest tyle smakowitych rybek. Jedną na pewno można poczęstować wygłodniałego psiaka?

John Tregeen, wysoki, rumiany blondyn sterujący kutrem, uśmiechnął się do niego.

– Przykro mi, gościu. Te ryby idą na sprzedaż, a nie do psiego pyska! – Wyjął z kieszeni ciasteczko w kształcie kości i rzucił w jego stronę. – Może być?

Pan Pies złapał z wprawą

smakołyk i zaraz go schrupał. Mmm, niezły, pomyślał, ale jeden przysmak to stanowczo za mało! Zatańczył na tylnych łapach, żeby skłonić szypra do rzucenia następnego.

Plan się powiódł! W jego stronę poszybował w powietrzu drugi przysmak…

Aż nagle coś białego mignęło, zapikowało i go ukradło!

– Hola! – Pan Pies zmarszczył brwi na widok mewy, która wylądowała po drugiej stronie kutra. Smakołyk znikał właśnie w jej żółtym dziobie.

– Słaby refleks, koleżko – zaśmiał się John.

– To było dla mnie! – upomniał mewę Pan Pies.

– Wybacz, stary druhu – zaskrzeczał ptak. – Znalezione niekradzione. Na plaży nie ma dzisiaj za dużo jedzenia, ludzie właśnie ją sprzątają.

– Doprawdy? – Pan Pies, zaciekawiony, zapomniał o pustym żołądku i spojrzał w stronę złocistej plaży przycupniętej u podnóża pagórka, którego zbocze dumnie prezentowało morzu uliczki i domy tutejszego miasteczka. Na piasku stała chmara dzieci z czarnymi workami i chwytakami do śmieci, a obok zgromadzili się dorośli, którzy ich doglądali i wydawali polecenia.

– Wszystko zbierają – wyjaśniła mewa. – Kawałki lin i sieci, żyłki

wędkarskie... i pełno plastikowych odpadków wyrzuconych przez fale.

– To dobrze – odparł Pan Pies. – Śmieci brzydko wyglądają i szkodzą zwierzętom.

– Racja – przytaknął ptak. – Szkoda tylko, że uprzątają też pozostawione przez innych resztki jedzenia.

– Ty to lepiej zmykaj – ostrzegł mewę Pan Pies na widok jednego z dwóch członków załogi Johna, młodego chudzielca o imieniu Sadiq, który machał ręką z zamiarem spłoszenia ptaka.

Ptaszysko machnęło lekceważąco skrzydłem, wzbiło się ponad port i przysiadło na maszcie czerwonego holownika.

Pan Pies już miał poderwać przednie łapy i poprosić o następne ciasteczko,

gdy zobaczył, że obok holownika wynurza się z wody czyjaś gładka głowa: szara, nakrapiana na biało, z okrągłymi ciemnymi oczami i rozchodzącymi się we wszystkich kierunkach wąsikami.

– O raju – szczeknął cicho Pan Pies. – To chyba prawdziwa foka, o ile dobrze widzę, a widzę ją pierwszy raz!

Foka spojrzała na mewę.

– I co, pewnie nie ma wieści od Ditzy?

Mewa pokręciła głową.

– Nikt tu Ditzy nie widział. I to od dawna.

Ditzy? Pan Pies zastrzygł uchem. Ciekawe, co to za Ditzy?

– Mam wielką nadzieję, że ktoś ją odnajdzie – oznajmiła posępnie foka. Dała z pluskiem nura, mewa odleciała, a tymczasem John Tregeen trzymał w dłoni następną chrupiącą przekąskę.

Tym razem Pan Pies nie ryzykował: podskoczył na tylnych łapach i porwał przysmak prosto z dłoni szypra.

– Ludzie mówią mi często, że nie dla psa kiełbasa – sapnął

zadowolony i przysiadł na zadzie. –
Ale się mylą!

John zwolnił obroty, silnik zaterkotał gardłowo i zatrzymali się przy pomoście. Sadiq skoczył do burty, żeby zakotwiczyć łódź, a drugi mężczyzna zaczął wyładowywać skrzynie z rybami. John i jego kolega mieli teraz zawieźć połów na targ, żeby restauratorzy mogli się zaopatrzyć na wieczór w świeże dorsze i flądry. Pan Pies szczeknął na pożegnanie, wskoczył na deski pomostu, zostawił ich samym sobie i zaczął kluczyć między zmierzającymi na plażę letnikami.

– Co za wspaniały dzień na sprzątanie plaży – oświadczył. – A ponieważ PAN

to niemal na pewno skrót od Pomagam Albom Nicpoń, lepiej dołączę!

Po drodze zauważył pomnik wielkiej jednookiej foki stojącej – czy też leżącej – na skale naprzeciwko portu. Pan Pies słyszał, że ta osławiona osobniczka zamieszkiwała przez lata pobliską wyspę i regularnie wpływała do portu, żeby zabawiać turystów. Zdaje się, że w tych stronach ludzie przepadają za fokami, pomyślał. Ale kim lub czym jest ta tajemnicza Ditzy i gdzie się podziała?

I właśnie wtedy dojrzał nad portem samiczkę głuptaka spadającą z nieba jak oszczep. Może wypatrzyła rybę wrzuconą z powrotem do wody z któregoś z kutrów? Jej młode, o upierzeniu jeszcze nie tak śnieżnobiałym jak u matki, brodziło po płytkiej pienistej mieliźnie na styku morza i plaży. Pan Pies zmarszczył brwi na widok unoszących się na wodzie śmieci, których jeszcze nikt nie pozbierał.

Nagle zobaczył, że młody głuptak potrząsa mocno głową i rozpaczliwie podskakuje. Najwyraźniej coś utknęło mu w dziobie i nie chciało się odczepić.

Panu Psu z przerażenia aż zaparło dech. Głuptak połknął kawałek plastikowej torebki, a ten stanął mu w gardle!

Rozdział drugi

NA RATUNEK!

– Wytrzymaj, ptaszku! – zawołał Pan Pies.

Głuptak był tak zajęty próbami przełknięcia torebki, że nawet nie odleciał na widok nadbiegającego Pana Psa. A on ostrożnie pochwycił zębami strzęp białego plastiku i wyciągnął go głuptakowi z dzioba. Uf! Ptak znów może oddychać!

– Fuj! – Pan Pies wypluł skrawek torebki na mokry piach. – Średnia przyjemność.

Pojawił się dorosły głuptak, krzyknął ostrzegawczo, syknął i zatrzepotał skrzydłami, żeby odstraszyć Pana Psa od swojego dziecka.

– Nie ma powodu do obaw! – zaprotestował Pan Pies. – Pomagałem twojemu maleństwu.

Młody głuptak przytaknął pospiesznie.

– To prawda!

Pan Pies przytrzasnął łapą skrawek torebki.

– Ten parszywy plastik to prawdziwe zagrożenie, co?

Mama głuptaka westchnęła.

– Tyle go wszędzie. A gdy jakiś czas temu wylała rzeka, było o wiele gorzej.

– O? – Pan Pies uniósł kudłatą brew. – A to dlaczego?

– Czy ja wiem?

– Sądziłem, że to ryba – powiedział smutno młody głuptak. – Pomyliło mi się.

– Nie dziwota – pocieszył go Pan Pies. – Idę teraz pomóc tym ludzkim pisklętom w sprzątaniu, żeby coś takiego już się nie powtórzyło.

Mama głuptaka spojrzała na niego.

– Poczciwa z ciebie psina. Chciałabym ci się jakoś odwdzięczyć.

– Hmm, może byś mogła – powiedział Pan Pies. – Mówi ci coś imię „Ditzy"?

– Ditzy! – pisnął młody głuptak. – To foka!

– Bardzo towarzyska i popularna – przytaknęła mama głuptaka. – Co dzień pokazywała się w porcie... a potem, kilka miesięcy temu, przepadła bez śladu.

– I nikt jej odtąd nie widział? – zadumał się Pan Pies.

Mama głuptaka wskazała dziobem ujście rzeki.

– W zeszłym tygodniu znajome ptaki mówiły, że widziały niewielką

ciemną fokę płynącą w górę rzeki. Ale to raczej nie Ditzy. Ona była duża, szara, z ciemniejszymi plamami na głowie i szyi.

– Pewnie widziały tylko psa – skomentował młody głuptak.

– Tylko psa? – Pan Pies udawał oburzonego.

– Wszyscy tęsknią za Ditzy – ciągnęła samica. – My, ptaki, też. Turyści zjeżdżali tłumnie tylko po to, żeby ją zobaczyć, a my ze smakiem dojadałyśmy po nich resztki.

– Bardzo bym chciał ją odnaleźć – oznajmił Pan Pies. – Bo, wiecie, ja lubię zagadkowe sprawy. No bo PAN oznacza Pieską Administrację do spraw Niewiadomych.

– Naprawdę? – zapytał młody głuptak.

– Kto wie. – Kundel wyszczerzył zęby w psim uśmiechu. – To też zagadka. – Rozejrzał się po plaży i zobaczył zmierzające w ich stronę dwie dziewczynki z wiadrami. – O, mamy towarzystwo! Towarzystwo przyjaciół porządku! Muszę im pomóc w sprzątaniu, zanim dojdzie do kolejnych wypadków.

– Jeszcze raz dziękujemy, Panie Psie! – powiedziała mama głuptaka, po czym oboje zatrzepotali skrzydłami i wznieśli się ze skrzekiem ku niebu.

Pan Pies pochwycił zębami strzęp białego plastiku, podreptał po złotym piasku do dzieci i ostrożnie umieścił śmieć w wiaderku starszej dziewczynki.

– Jaki mądry! – pochwaliła go z uśmiechem. – To ty jesteś tym nowym psem pana Tregeena, prawda?

Prawie trafiłaś, pomyślał Pan Pies i szczeknął. Tylko że to pan Tregeen jest moim nowym człowiekiem!

– Myślisz, że to pies myśliwski? – zaciekawiła się jej koleżanka. – Jeśli tak, to może on odnalazłby Ditzy.

– Byle ktokolwiek ją odnalazł. – Dziewczynka wzruszyła smutno ramionami i obie odeszły dalej zbierać śmieci. – Bez pluskającej się Ditzy port nie jest już taki sam… – Dobiegł go jej głos.

Czyli więcej mieszkańców tęskni za Ditzy, pomyślał Pan Pies, patrząc za nimi. Ta dziewczynka nazwała mnie mądrym i chyba miała rację… ale czy jestem dość mądry, by rozwiązać tajemnicę zaginionej foki? Podszedł do plastikowej pokrywki z kubka po kawie i podniósł ją zębami. Przekonać się o tym można chyba tylko

w jeden sposób. Gdy tylko skończy się sprzątanie, czas na przygodę!

Tego letniego wieczoru, gdy niebieskie niebo zaciągało się szarością, Pan Pies leżał w rozpadającej się starej budzie w ogrodzie Johna Tregeena. Napracował się na plaży, dostał smakowity posiłek złożony z ryby i ryżu, a teraz drzemał, żeby nabrać sił. W nocy, gdy wokół panowały cisza i spokój, zamierzał ruszyć na wyprawę w poszukiwaniu zaginionej Ditzy!

Otworzyły się tylne drzwi domku i do ogrodu wyjrzał John Tregeen.

– Jesteś, piesku? Idziesz do środka?

Pan Pies wstał, przeciągnął się i podszedł do rybaka. Przywarł mu do nóg, żeby podziękować za mieszkanie, po czym odwrócił się i podreptał w stronę furtki.

John się uśmiechnął.

– Czas się pożegnać?

Nie na zawsze, pomyślał Pan Pies. Pożegnał się z człowiekiem cichym szczeknięciem i w świetle księżyca pobiegł ścieżką ciągnącą się wzdłuż rzędu domków rybackich. Przed nim mieniło się srebrzyście czarne morze, wiatr burzył nieznacznie jego powierzchnię i poruszał stojącymi w porcie łodziami. Z oddali dobiegały krzyki nocnego ptactwa.

Pan Pies kierował się w stronę ujścia rzeki, miejsca, w którym wpadała do

morza. Zamierzał udać się jej brzegiem w głąb lądu. Poszukiwania Ditzy właśnie się rozpoczęły!

Rozdział trzeci

WOŁANIE O POMOC

Pan Pies wędrował przez las porastający brzeg rzeki. Początkowo woda w rzece była słona jak w morzu i nie nadawała się do picia, ale w samym środku tej pierwszej nocy rozpętała się ulewa. Błyskawica z trzaskiem przecięła

ciemność. Pan Pies przycupnął pod drzewem i patrzył na wodę spływającą z mięsistych liści. Położył się na grzbiecie, rozwarł pysk i turlał z boku na bok, pijąc do woli i rozkoszując się wolnością.

Burza ustała dopiero rankiem. Niebo wisiało nisko, obciążone szarymi chmurami. Pan Pies kontynuował swoją podróż. Maszerował raźno rozmokłym brzegiem. Rzeka rozwidlała się: jedna część wiła się na wschód i znikała z pola widzenia, a druga, szersza, zakręcała na zachód. Pan Pies wybrał tę drugą i ruszył przed siebie.

Około południa natknął się na siedzącego na brzegu wędkarza. Wszystko

wskazywało na to, że nie udało mu się niczego złowić. Przeżuwał tylko ponuro kanapkę z szynką.

Pan Pies zatańczył na tylnych łapach z nadzieją na datek, ale wędkarz nie zwrócił na niego uwagi, kundel poszedł więc w swoją stronę. Wszystkich sobie nie zjednam, pomyślał i pobiegł kłusem dalej pod wędrującym po niebie słońcem.

Po południu napotkał głuptaka, który właśnie upolował rybę.

– Słuchaj no! – zawołał. – Czy któryś z was, ptaków, nie widział przypadkiem foki?

Głuptak chwilę się zastanowił.

– Widziałem, jak w górę rzeki płynął jakiś gruby szary serdelek… – Ale wtedy z góry spadł inny ptak i porwał rybę, a głuptak ruszył za nim w pogoń. Rozmowa się urwała.

Zapadał zmrok. Pan Pies ułożył się do snu w zacisznym zagajniku i przespał smacznie noc do świtu. Przez chwilę szedł wzdłuż biegnącej równolegle do rzeki linii kolejowej, ale po pewnym czasie minął go z łoskotem pociąg towarowy wydzielający cuchnące opary, więc Pan Pies wrócił na brzeg. Ku swojemu utrapieniu w przybrzeżnych trzcinach wypatrzył fragmenty plastikowych opakowań. Mama głuptaka wspominała na plaży, że po powodzi pojawiło się jakby więcej plastiku… Ale skąd?

– Kolejna zagadka – mruknął. Wykopał prędko jamę w mokrej ziemi i zagrzebał w niej znalezisko.

Po południu znów zaczęło padać, coraz mocniej i mocniej. Pan Pies dreptał niestrudzenie wzdłuż rzeki, która a to się poszerzała, a to znów zwężała. W końcu zapadł wieczór i Pan Pies, zmoknięty oraz zziębnięty, znalazł schronienie w lesie, wspominając tęsknie budę przy domu Johna Tregeena. Dobiegł go samotny szczęk i stukot toczącego się pośród nocy pociągu oraz – gdy ucichło echo – jakiś inny, dziwniejszy odgłos. Coś w rodzaju warkliwego szczeku, ale na pewno nie w żadnym ze znanych mu psich języków.

A cóż to tak hałasuje?

Ciekawość popchnęła Pana Psa z powrotem na deszcz. Powarkiwanie i piski się nasiliły, jakby ktoś znajdował się w rozpaczliwym położeniu. Odgłosy dochodziły spoza lasu, gdzieś z okolic nabrzeża. Pan Pies wypadł z gęstwiny paproci i pokrzyw, żeby zbadać tę sprawę.

– Halo! – zawył.

Na tle echa jego wołania wyróżnił się czyjś głos:

– Tutaj! – piszczał ktoś donośnie i gardłowo. – Utknęłam!

Niebo pociemniało. Błysnął piorun, a za nim rozległ się trzask i ryk grzmotu. O połyskujący nurt rzeki bębnił deszcz. Pan Pies otrzepał się z wody i dalej podążał brzegiem.

– Wołaj dalej! Znajdę cię…

Wkrótce zobaczył, że przy brzegu coś się wije: obła, lśniąca postać otulona sadełkiem. Ciemnoszare stworzenie o wielkich czarnych oczach wyglądało na wyczerpane i przestraszone. Poruszało bezradnie wyrastającymi z piersi krótkimi płetwami z błonami pławnymi i małymi palcami, zakończonymi pazurami. Z pyska wyrastały jej sterczące na wszystkie strony, szczeciniaste wąsiki. Zwierzę szamotało się jak w niewidzialnym uścisku.

– Aha! Foka! – zakrzyknął Pan Pies. – Wreszcie cię odnalazłem.

– Pies! – zawołało zaskoczone stworzenie i powoli wsunęło się z powrotem do wody. – Dlaczego mnie szukasz?

– Bo zaginęłaś! Ditzy, tak? Tak się cieszę, że cię znalazłem!

– Ditzy? – Foka jeszcze szerzej otworzyła oczy. – Och, nie, nie, nie. Nie jestem Ditzy. Mam na imię Lulu. Ditzy to moja koleżanka. Szukałam jej.

– Czyżby? No to witaj w klubie.

Pan Pies przypomniał sobie, że zdaniem głuptaków jakieś ptaki widziały w głębi lądu niewielką szarą fokę. To musiała być Lulu!

– Miło mi cię poznać, Lulu. Na mnie wołają Pan Pies.

– Serwus, Panie Psie – powiedziała Lulu. – Też jesteś przyjacielem Ditzy?

– Jestem przyjacielem każdego zwierzaka w opałach – oświadczył Pan Pies. – Również twoim. A cóż ci się stało?

– Zaczepiłam się! Utknęłam! Ugrzęzłam! – Lulu znów zaczęła się wyrywać. – Goniłam rybę, zaplątałam się w coś i nie umiem się wydostać!

– Zobaczmy – mruknął Pan Pies.

Gdy się zbliżał, Lulu ponownie usiłowała podciągnąć się na brzeg. Pan Pies zauważył, że tuż pod powierzchnią wody coś cienkiego i czerwonego wbija się w opasłe, serdelkowate, ciemnoszare ciało foki i krępuje jej ruchy.

– To mi wygląda na sieć – wywnioskował. – Fragment zerwanej sieci rybackiej.

– Przyczepiła się do czegoś – stęknęła Lulu. – Utknęłam na amen. Jestem przygwożdżona. Uziemiona.

– Zaraz sprawdzimy, co da się zrobić. – Pan Pies nabrał tchu i wetknął nochal do wody. Wyglądało na to, że sieć owinęła się wokół czegoś wystającego z dna rzeki. Wbił zęby w plastikowe oczka, chcąc

przegryźć twarde włókna, i próbował je rozerwać pazurami. Jęknął w duchu, bo nic nie wskórał.

Znów błysnął piorun i rozpadało się jeszcze mocniej. Zadyszana Lulu leżała nieruchomo na boku, a z wody wystawała jej tylko głowa.

– I co ja teraz pocznę?

Pan Pies nie odpowiedział. Jeśli rzeka nadal będzie tak wzbierać, biedna Lulu zostanie uwięziona pod wodą, pomyślał. A foka bez powietrza nie przeżyje. Znów wetknął kinol pod wodę i wgryzł się w sieć. Jeśli nie oswobodzę Lulu, to na pewno utonie!

Rozdział czwarty

SPLĄTANY WĄTEK

Pan Pies wyjął pysk z wody, ziajał z wysiłku.

– Przykro mi, Lulu – zaskomlał cicho. – Sieć jest naprawdę mocna. Nie umiem jej rozerwać…

– Czyli już po mnie, prawda? – jęknęła Lulu. – Jestem skończona i wykończona. Pójdę na dno!

– Na dno… – Pan Pies wytężył szare komórki i warknął radośnie. – Czekaj, czekaj, Lulu, może to jest sposób. Sieć zaplątała się w jakąś rzecz wbitą w dno rzeki. Skoro nie mogę rozerwać sieci, to może uda mi się wykopać to, w co się owinęła!

– Sprytnie! – pisnęła Lulu. – Ale z ciebie mądry pies.

– Masz absolutną rację! – Pan Pies wyszczerzył zęby w uśmiechu. – Coś mi się zdaje, że szybko się zaprzyjaźnimy.

Niebo rozjaśniła kolejna błyskawica i Lulu zadrżała, aż zatrzęsło się jej sadełko.

– Pospiesz się, Panie Psie. Proszę!

Pan Pies nabrał powietrza i zanurzył łeb w zimnej, ciemnej wodzie obok Lulu. Nic nie widział, ale przesunął pyskiem po sieci w dół, tam, gdzie zahaczyła się o dno. Zagłębił łapy w gęstym mule i zaczął kopać. W zimnej wodzie nie było to łatwe – szlam był gęsty jak miód. Pan Pies kopał i kopał, a serce kołatało mu pod żebrami…

Lulu prężyła się, wyrywała i przesuwała pomału coraz bliżej brzegu.

– Chyba… chyba działa.

Pan Pies rozgrzebywał łapami gęsty muł. W dnie utkwił prawdopodobnie kawałek deski. Drążąc coraz głębiej, Pan Pies nabierał przekonania, że to o nią zahaczyła się sieć. W końcu udało się ją rozsupłać. Uwolniona Lulu pisnęła radośnie. Wywinęła się i wtoczyła na brzeg, omotana jeszcze ciasno siecią jak dziwacznymi kąpielówkami. Pan Pies podprowadził ją pod pobliskie drzewo i legł przy jej boku. Deszcz padał dalej, a oni odpoczywali, ciężko dysząc.

Lulu zobaczyła, że jej wybawca się trzęsie, i przywarła do niego ciałem.

– Dziękuję – zamruczała cicho.

– Coś mi się zdaje, że będę musiał zmienić imię na Pan Cernik. – Łypnął na nią. – Nic ci nie jest?

Lulu przeciągnęła się i jęknęła.

– Chyba sobie skręciłam płetwę, kiedy próbowałam się wyrwać. I ta sieć wrzyna mi się w skórę…

Pan Pies zobaczył na grzbiecie foki czerwone zadrapania. Najdelikatniej, jak umiał, odwinął i ściągnął sieć.

– Dziwne – powiedział, przyglądając się jaskrawoczerwonym włóknom. – Spodziewałem się starego odpadu, który ludzie wrzucili do rzeki. A ta sieć wygląda na nową. Może wypadła komuś z łodzi?

– Tak czy siak jest bardzo niebezpieczna. – Lulu zadrżała. – Oj, mam tylko nadzieję, że Ditzy nie wpadła w nic podobnego. Tak się o nią martwię.

Pan Pies skinął łbem.

– Blisko się przyjaźnicie?

– Znamy się od szczenięcia – odpowiedziała Lulu. – Ale ona jest o wiele śmielsza ode mnie. Ja bym nie umiała się tak popisywać w porcie przed ludźmi. Któregoś dnia, parę miesięcy temu, wspomniała, że wybiera się zwiedzać rzekę, ale od tamtej pory nikt jej nie widział. Bardzo mnie to... rybka!

Pan Pies poruszył kudłatymi brwiami.

– Tobie to rybka?

– Rybka! – Lulu węszyła wokół, aż podrygiwały jej wąsiki. – Czuję rybkę! Czujesz rybkę?

Pan Pies też zaczął niuchać.

– Jak już o tym wspomniałaś... tak! Tam jakaś jest. – Wskazał pyskiem wielkiego łososia leżącego na boku w skrapianej przez deszcz wodzie. – Sądząc po zapachu, całkiem świeża. Jak się tam znalazła?

– Już wcześniej ją złowiłam i właśnie wtedy się zaplątałam. Musiałam na niej siedzieć! – Lulu rozłożyła płetwy i zsunęła się na brzuchu ze skarpy, żeby przechwycić zdobycz. – Chcesz gryza? Zasłużyłeś sobie na nagrodę!

Po chwili Lulu siedziała z powrotem pod drzewem, ogryzała trzymany w łapkach rybny posiłek i dzieliła się co smaczniejszymi kąskami z Panem Psem.

– A wiesz, Ditzy ma fioła na punkcie łososi. Lubuje się w nich. Rozkoszuje!

– Wcale się nie dziwię. – Pan Pies oblizał pysk. – A dużo jest łososi w tej rzece?

– O tak, całe mnóstwo, w dopływie wschodnim też – powiedziała Lulu. – Przemierzam te wody tam i z powrotem w poszukiwaniu Ditzy i ciągle się częstuję! – Lulu pałaszowała dalej i Pan Pies zobaczył, że zęby ma nie mniej ostre i białe niż on. – Kiedy pokonywałam tamten dopływ, spotkałam bardzo miłych i pomocnych ludzi – złowili pełno ryb i zostawili je dla mnie w sieci.

Pan Pies spojrzał na nią z ukosa.

– Ci wędkarze niczego ci nie zostawili, Lulu! Łowili ryby dla rozrywki lub

do jedzenia albo po to, żeby sprzedać je do restauracji.

– Nie, chyba coś ci się pomyliło. – Lulu przełknęła rybi ogon. – Kiedy wzięłam jedną rybkę, wędkarze poderwali się i zaczęli coś krzyczeć i wymachiwać pięściami. Naprawdę się cieszyli.

– Nie, nie, Lulu – odpowiedział Pan Pies. – Ludzie tak wyglądają, kiedy się wściekają.

– Wściekają? Ależ nie. – Przetoczyła się na bok. – Jeden tak się cieszył, że aż skierował w moją stronę coś podłużnego, co zrobiło „bum!", zupełnie jak fajerwerki.

– Wielkie nieba. – Pan Pies położył uszy po sobie. – Lulu, on do ciebie strzelał. To musiał być myśliwy. Mógł cię zabić!

– Zabić? – Lulu wytrzeszczyła czarne oczy. – A niby czemu miałby to robić? Ryby nie należą do ludzi. Czemu nie mogą się podzielić?

– Niektórzy ludzie nie bardzo umieją się dzielić. Ale i tak bardzo się dziwię, że do ciebie strzelali. – Pan Pies zamyślił się głęboko. – Tu się coś musiało wydarzyć. Tylko co?

– Może Ditzy będzie wiedziała. Mam nadzieję, że na tym odcinku rzeki ją

odnajdę... – Lulu urwała. – I liczę też na kolejną rybę. Przepraszam najmocniej, idę łowić.

Pan Pies odprowadził wzrokiem Lulu, która wyszła z powrotem na deszcz, stoczyła się niezgrabnie ze skarpy i weszła do wody. Westchnął. Odnalazł jedną fokę, ale losy Ditzy pozostawały nieznane. Czyżby dopadli ją myśliwi? Czy gdzieś tam jest i rozgląda się za Lulu? Może i jej coś się stało z powodu pływających w rzece śmieci?

Coraz więcej niewiadomych, pomyślał. I coraz większe niebezpieczeństwo!

Rozdział piąty

DOJRZEĆ FOKĘ

Do świtu było daleko i szmer deszczu ukołysał w końcu Pana Psa do snu. Rano zbudził go huk i ostry jak sygnał alarmowy gwizd przetaczającego się pociągu. Deszcz ustał i przez jednolicie białe niebo próbowało się przebić słońce.

– Dzień dobry, Panie Psie! – Lulu, która właśnie pięła się po nabrzeżu, cisnęła w jego stronę tłustą, soczystą rybę. – Ruszam w dalszą drogę, w górę rzeki. Ditzy musi gdzieś tam być.

– A powiedz mi, Lulu… – Pan Pies wstał i rozciągnął swoje kudłate ciało, prostując tylne łapy. – Czy foki często porzucają morze i pływają po rzekach?

– Czasem ganiamy za rybami… i trochę błądzimy. – Lulu westchnęła. – Ale nawet wtedy wracamy na ogół po kilku dniach.

– A Ditzy nie ma już od kilku miesięcy. – Pan Pies pokręcił głową. – Idę z tobą, zobaczymy, czy zdołamy ją odnaleźć.

– Dzięki za pomoc – powiedziała Lulu.

I tak osobliwy duet wyruszył w drogę. Pan Pies biegł truchtem pośród wysokiej trawy na brzegu, a Lulu przemieszczała się w wodzie, starając się nie używać uszkodzonej płetwy. Chwilami dla zabicia czasu bawili się w odgrywanie ról.

– Ej, patrz na mnie. – Lulu położyła się nieruchomo w wodzie. – Jestem kłodą.

– No, nieźle – skwitował uprzejmie Pan Pies.

Foka obróciła się na brzuch.

– A teraz?

– Yyy… drugą kłodą?

– Nie. Jestem kłodą, która ZŁOWIŁA RYBĘ! – Obróciła się z powrotem na grzbiet i zaprezentowała trzymanego

w płetwach dorodnego łososia, który już za chwilę znikł w jej pysku.

– Mniam. Dobra rybka.

– Uwaga! – warknął ostrzegawczo Pan Pies. – Ktoś łowi!

Kawałek dalej wypatrzył jasnowłosą postać siedzącą na brzegu za bogatym

ekwipunkiem
złożonym
z wędek
i sieci. Kobieta
najwyraźniej dostrzegła
Lulu i jej rybę. Powoli,
ostrożnie sięgnęła do
stojącej obok dużej torby. Pan
Pies nastroszył uszy, a sierść
zjeżyła mu się na grzbiecie. Czy kobieta
to kłusowniczka, gotowa zastrzelić
foczą złodziejkę ryb? Padł na ziemię

i przedzierając się przez trawy, zaczął się czołgać w jej stronę.

Muszę tam dotrzeć na czas, pomyślał. Jeśli na nią skoczę, popsuję jej szyki.

Kobieta zaczęła wyciągać coś z torebki... ale okazało się, że to tylko telefon! Fotografowała wynurzającą się co rusz Lulu, ale gdy foka zbliżała się do umieszczonych przy brzegu sieci, kobieta zaczęła kręcić głową i krzyczeć. Machnęła gniewnie ręką, jakby chciała ją przepłoszyć. Lulu czym prędzej zanurkowała i odpłynęła, a kobieta wybrała czyjś numer. Pan Pies nasłuchiwał.

– Halo? – powiedziała. – Tu Alana. Słuchaj, nie uwierzysz, ale widziałam tę fokę, za którą się uganiacie. Jest tu, w zachodnim dopływie. Dobrała mi się do ryby... Już odpłynęła, zdaje się, że w górę rzeki. Tak... tak, możemy się spotkać na farmie.

Pan Pies okrążył kobietę i pobiegł za Lulu. Nie spodobał mu się ton tej rozmowy. „Ta foka, za którą się uganiacie" – powiedziała. Czyżby rozmawiała z myśliwym, który strzelał na chybił trafił do Lulu? A może wzięła Lulu za Ditzy?

Pan Pies pokręcił kosmatym łbem. Tyle pytań!

– Musimy bardzo uważać – powiedział do Lulu, gdy ją dogonił. – To spora rzeka, ale wszystko wskazuje na to, że szukają cię jacyś ludzie.

Lulu wynurzyła lśniącą głowę i spojrzała na Pana Psa szeroko otwartymi oczami.

– Myślisz, że zrobili coś Ditzy?

– Gdyby spotkało ją coś złego, ludzie z miasteczka na pewno by się o tym dowiedzieli – zapewnił ją Pan Pies. – Jak wiesz, bardzo ją tam lubili. Ale lepiej spróbujmy ją jak najszybciej odnaleźć, żebyście obie mogły wrócić do morza i poczuły się bezpiecznie.

Pan Pies chciał jak najprędzej oddalić się od wędkarki Alany, ale ciągle napotykali zwierzęta, które wpadły w tarapaty z powodu odpadów. Najpierw zobaczyli kaczora, któremu jakimś sposobem udało się naciągnąć na głowę gumkę recepturkę, a ta utknęła mu na dziobie i trudno mu było jeść. Kaczor obawiał się Pana Psa i próbował odpłynąć, więc Lulu wynurzyła się spod niego, podniosła go i dostarczyła na brzeg. Kaczor był tak przerażony, że stał bez ruchu, gdy Pan Pies rozrywał ostrożnie gumkę najostrzejszym ze swoich pazurów.

Niedługo potem ich oczom ukazał się jeszcze smutniejszy widok: łania z głową zakleszczoną w plastikowym słoju. Nieszczęsne zwierzę nic nie widziało i chyba od pewnego czasu nie miało niczego w ustach. Panu Psu udało się zahaczyć zębami o wylot słoja i przytrzymać go mocno, łania robiła zaś wszystko, żeby wyciągnąć głowę. Wreszcie i to się udało, a łania zeszła chwiejnie nad wodę i zaczęła łapczywie pić. Pan Pies nakopał do słoja mokrej ziemi, żeby inne ciekawskie zwierzaki nie włożyły doń pysków.

– Skąd się biorą te wszystkie okropne śmieci? – zawył.

– Nie wiem – odparła Lulu, wypływając naprzód – ale spływają z nurtem na plażę i do portu, więc ich źródło musi być jeszcze przed nami… AUUUU! – Foka pisnęła boleśnie i zesztywniała w wodzie.

– Lulu? Co się stało? – Pan Pies podbiegł do brzegu, wskoczył do wody i podpłynął. Spod powierzchni wody dobiegł go wysoki, nienaturalny sygnał i Pan Pies położył po sobie uszy. – Lulu, co to za okropny odgłos? Lulu… ? – Rozejrzał się, ale po foce nie został nawet ślad. – Lulu! – zawył. – Gdzie jesteś?

Rozdział szósty

PODWÓJNE ODKRYCIE

Dziwaczna syrena umilkła tak niespodzianie, jak rozbrzmiała.

– Tu jestem – odezwała się Lulu i wynurzyła z porastającej brzeg trzciny. – Kiedy odpłynęłam, pisk ustał.

– Może ten odgłos ma odstraszyć foki takie jak ty? – Pan Pies również wyszedł na brzeg, otrzepał się i rozejrzał wokół. – Aha! – warknął i stanął na tylnych łapach. – A cóż to widzą moje oczy?

Lulu podążyła za jego spojrzeniem i zobaczyła sporą pomarańczową skrzynkę z plastiku zamocowaną na drewnianym słupku. Odchodzący od niej szary przewód był zanurzony w wodzie.

Pan Pies, zaciekawiony, podszedł bliżej. Gdy jednak Lulu podpłynęła w jego stronę, znów rozległ się nieznośny sygnał.

– Och! – stęknęła. – Tam na końcu kabla coś jest, coś małego i pomarańczowego. I to okropieństwo krzyczy, gdy tylko mnie widzi!

– To musi być jakieś specjalne urządzenie – orzekł Pan Pies, przyglądając się pomarańczowej skrzynce. – Nie widzi cię, ale może ma czujnik, który wykrywa pływające w rzece większe zwierzęta... i wydaje ten głośny ostrzegawczy dźwięk.

Ledwie skończył, a znów rozległ się sygnał.

– Ale tym razem się do niego nie zbliżyłam! – Lulu otrząsnęła się i wyszła na brzeg.

– Co go uruchomiło?

Ogłuszający alarm urwał się raptownie. Pan Pies zmarszczył brwi, bo na powierzchni wody pokazały się pęcherzyki powietrza, po czym z toni wynurzyła się z rozgłośnym pluskiem jakaś ciemna postać. Tak się przeraził, że aż odskoczył.

To była kolejna foka, znacznie większa niż Lulu, szara z ciemniejszymi plamkami na pysku i szyi. Z końcówki tkwiącego

w jej szczękach kabla zwisał smętnie jakiś plastikowy pomarańczowy przedmiot.

– Ditzy! – Lulu złożyła radośnie swoje malutkie płetwy, potoczyła się po skarpie i wśliznęła do wody. – Znalazłam cię, Ditzy!

– Lulu! – Ditzy pomknęła do niej i obie trąciły się wesoło nosami. – Tak się cieszę, że cię widzę! Dobrze, że nie przeraził cię odstraszacz fok! – Odrzuciła przewód i skrzyneczkę, a ta wylądowała u stóp Pana Psa.

– Odstraszacz fok? – powtórzył.

– Tak, ludzie umieścili je w rzece, żeby nas przepłoszyć. Ale ja jestem przygłucha, więc nie robią na mnie większego wrażenia. Po prostu je przegryzam. Haps, haps, haps! – Ditzy kłapnęła w powietrzu wielkimi kremowymi zębami. – HAPS! A z ciebie co za jeden?

– Nazywam się Pan Pies. Niektórzy twierdzą, że PIES to skrót od Poważanie i Estyma, jednak nie mnie to oceniać. – Uśmiechnął się i skłonił łeb. – Bardzo mi miło cię poznać, Ditzy, ale nie rozumiem, dlaczego ludzie zadają sobie tyle trudu, żeby odstraszyć foki od tej rzeki?

Lulu zamrugała.

– Właśnie, dlaczego, Ditzy?

– Daj spokój! – Ditzy rzuciła jej chytry uśmieszek. – Nie udawaj, że nie wiesz. A niby czemu się tu znalazłaś?

– Bo się o ciebie martwiłam – wyjaśniła Lulu.

– A ja tu jestem dlatego, że lubię zagadki i przygody – wtrącił się Pan Pies.

– A co ty tutaj robisz? Dlaczego ludziom tak bardzo zależy na przepłoszeniu fok?

– Dlaczego? – Ditzy odrzuciła głowę i jakby rozbawiona ni to chrząknęła, ni to zatrąbiła. – Muszę ci pokazać. Płyń za mną, Lulu. Naprawdę się zdziwisz. I najesz do syta.

– Ooo! – Oczy Lulu były teraz wielkie jak spodki. – Dobrze, Ditzy.

– Zaraz! Nie wiem, co znalazłaś, ale to może być niebezpieczne! – ostrzegł foki Pan Pies. – Wędkarze rozstawili te hałaśliwe skrzynki, żeby cię odstraszyć, Ditzy, ale ty nie słuchałaś. Całkiem dosłownie! Zlekceważyłaś ostrzeżenia i coś mi się zdaje, że ludzie gotowi są podjąć poważniejsze działania.

– Coś ty, piesku. Nie zrobiliby krzywdy Ditzy, słynnej foce! – Obróciła się niezgrabnie w kółko, aż Pan Pies uśmiechnął się mimo woli. – Yyy, czy się mylę?

– Do biednej Lulu ktoś strzelał – powiadomił ją Pan Pies.

– Eee! Na pewno niechcący. – Ditzy wykonała salto, na ile pozwalało jej na to sadełko. – No chodź, Lulu, koniecznie muszę ci pokazać, dlaczego tak długo tu zabawiłam. – To powiedziawszy, zaczęła pruć w górę rzeki. – Tędy. Raz-dwa!

Pan Pies popędził brzegiem za Ditzy, ale zauważył, że Lulu nie potrafi dotrzymać im tempa.

– Czekajcie na mnie! Nie umiem płynąć tak szybko jak ty, Ditzy!

Ale przygłucha foka jej nie zrozumiała.

– Słucham?

– Płetwę sobie skręciłam!

– Drętwę sobie chwyciłaś? Niezły wyczyn!

– Nie, skręciła sobie płetwę, kiedy zaplątała się w kawałek sieci – wyjaśnił biegnący obok Pan Pies. – Może byś się na chwilę zatrzymała?

– Oj, no dobrze – zaburczała Ditzy.

I właśnie wtedy Pana Psa dobiegł wysoki, metaliczny, wibrujący dźwięk. Rozejrzał się i zobaczył nieregularny prześwit między drzewami, a za nim tory kolejowe.

– Pociąg jedzie – zauważył.

– Ooo, naprawdę? W samą porę! – Ditzy przyklasnęła, podpłynęła do brzegu i wgramoliła się na skarpę, żeby znaleźć się bliżej torów. – Urządzę pasażerom

prawdziwy spektakl... stęskniłam się za pokazami!

Gdy jednak pociąg nadjechał ze szczękiem, Pan Pies zobaczył, że to skład towarowy – lokomotywa ciągnąca mnóstwo wagonów z rzeczami, a nie z ludźmi.

Ditzy miała rozczarowaną minę.

– Och. Zero publiczności, jak zwykle. Tylko te głupie stare wagony pełne paskudnych plastikowych odpadów.

– Co? Plastikowych odpadów? – Pan Pies wytrzeszczył oczy. – Skąd wiesz, co jest w wagonach?

– Bo jak byłam tu pierwszy raz, zdarzyło się coś okropnego! – Ditzy zbliżyła się do niego niezdarnie. –

Na początku lata nadeszły okropne ulewy i potem równie straszne powodzie. Torowisko nasiąkło wodą i pociąg się wykoleił, o, tu! Wagony się wywróciły, wpadły na drzewa i je połamały. A jaki był huk! – Ditzy, mimo małych kłopotów ze słuchem, usłyszała go doskonale – Nie mogłam uwierzyć własnym oczom, gdy z jednego z wagonów wypadła wielka paka i zaczęła się toczyć coraz dalej i dalej…

Pan Pies podszedł tak blisko, że stali niemal nos w nos.

– Ditzy, a wiesz, gdzie teraz jest ta paka?

– Tam, w wodzie – Ditzy wskazała pyskiem brzeg. – Pękła i cały paskudny plastik przedostaje się do rzeki!

Rozdział siódmy

RADOŚNIE I GROŹNIE

– No tak – mruknął Pan Pies, gdy Lulu ich dogoniła. – Wreszcie wiemy, skąd się wziął cały ten plastik. – Dopiero teraz zobaczył, że prześwit nie powstał z przyczyn naturalnych: drzewa się nie zwaliły, tylko złamały, a teren

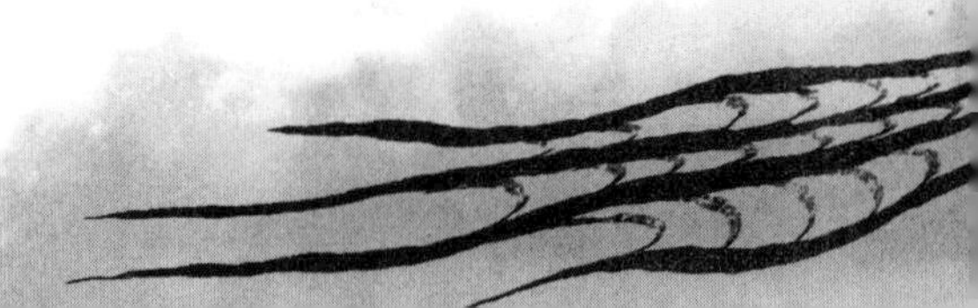

wokół jest zniszczony i wyrównany. – Widocznie gdy pociąg wypadł z szyn, jedna z pak wpadła do wody i znikła pod powierzchnią.

– I nikt jej nie odnalazł – potwierdziła Ditzy.

Pan Pies zaczął brodzić po wodzie i dotarł do paki. Była to plastikowa skrzynia, wielka jak lodówka, biała i wgnieciona, z naderwaną i wykrzywioną pokrywą.

Z ostrego rogu zwisał bezwładnie kawałek czerwonej sieci.

Lulu dała nura, żeby się jej przyjrzeć, i po chwili wyłoniła się z powrotem.

– Kiedy rzeka przybiera, woda wymywa ze środka następne śmieci... – Zamachała osłabioną płetwą. – A one szkodzą kolejnym zwierzętom.

Pan Pies przytaknął z przygnębieniem. Przypomniał sobie łanię i kaczora. Pomyślał, że nie chce już więcej oglądać cierpień żadnego stworzenia.

– Na pokrywie zaczepiło się więcej tej wstrętnej sieci – zauważył. – Musiała wypłynąć z paki.

– O, nie, nie, nie, wcale nie. Mogę wam pokazać, skąd się wzięła ta konkretna sieć i jak się tam dostała. – Ditzy znów uśmiechnęła się chytrze. – Nie uwierzysz, co ci chcę pokazać, Lulu. Za mną, w górę rzeki!

Pan Pies zmarszczył kudłate brwi. O co jej chodzi? Szczeknął, żeby

na niego poczekały, i pobiegł brzegiem za odpływającymi fokami. Ale teraz, gdy wiedział już o pace i ilości śmieci w jej wnętrzu, łapy jakby bardziej mu ciążyły. Gdybyśmy tylko mogli ją komuś wskazać! – pomyślał. Wzdrygał się na myśl, że musi zostawić to okropieństwo i pozwolić, by dalej zatruwało otoczenie. Wiedział też jednak, że foki mogą być w niebezpieczeństwie, toteż nie mógł ich pozostawić samym sobie.

W końcu po długim czasie, chyba kilku godzinach, Pan Pies dotarł do miejsca, w którym rzeka stopniowo rozlewała się

po równinie, a wokół, jak szpetne kwiaty, zaczęły wyrastać tabliczki z napisami:
„TEREN PRYWATNY”
i **„WSTĘP WZBRONIONY”**.

Pan Pies zignorował je i poszedł dalej.

– Wiedzą chyba, że psy nie umieją czytać – wyjaśnił to sobie pogodnie.

Grunt stał się rozmokły, a po obu stronach znajomych już torów kolejowych połyskiwały rzeczne rozlewiska. Po chwili Pan Pies zobaczył, że po drugiej stronie rzeki stoi w wodzie metalowa konstrukcja, pokryta siecią i długa jak kilka autobusów.

– Mniam! – Podekscytowana Ditzy zataczała małe kółka. – Mniam, mniam, mniam!

Lulu węszyła wokół.

– Co to za wspaniały zapach?

– To hodowla ryb! – Ditzy wynurzyła się obok niej i zrobiła w wodzie foczego fikołka. – Widzisz? Soczysty łosoś. Tysiące łososi! Łososie, jak okiem i nosem sięgnąć. Odgradzają je sieciami, żeby się nie wydostały. Wystarczy się przedrzeć, popłynąć za nimi i częstować się do woli. Ciam, ciam, CIAMKU-CIAM!

– Co? – Pan Pies uniósł kudłate brwi. – Nic dziwnego, że ludzie się denerwują – powiedział. – Łowienie ryb pływających na wolności w rzece to co innego, ale te ryby należą do hodowców.

– Serio? – Ditzy sprawiała wrażenie zaskoczonej. – Ale jeśli złapię kilka, to chyba im to nie zrobi różnicy? – Ditzy obróciła się do koleżanki. – To cudowne, Lulu. Przeciskasz się pyszczkiem przez sieć i wcinasz!

– I to wszystko? – zachwyciła się Lulu. – Nic dziwnego, że tak długo tu zabawiłaś.

Ditzy przytaknęła.

– Ich sieci nie są zbyt mocne, ale mają więcej niż jedną warstwę. Niejedną musiałam rozerwać, żeby przedostać się do rybek. – Podpłynęła do pobliskiej kępy trzciny, na której zaczepił się kawałek sieci. – O, takich właśnie używają. Patrzcie, taka sama zahaczyła się o pokrywę paki – widocznie popłynęła z nurtem rzeki…

Pan Pies przyjrzał się charakterystycznej czerwonej siatce.

– Lulu, poznajesz tę sieć?

Lulu zadrżała.

– Tak, a na dowód mogę pokazać swoje rany. Och, Ditzy, to przez ciebie się zaplątałam.

Ditzy wyglądała na wstrząśniętą.

– Przeze mnie?

– Inna taka sieć spłynęła z nurtem i mnie uwięziła – ciągnęła Lulu. – Gdyby Pan Pies mi nie pomógł, mogłabym umrzeć.

– Naprawdę? Tak mi przykro. Tak bardzo mi przykro. – Ditzy wyglądała na przybitą, ale zaraz się rozpromieniła. – Ejże, złowię ci łososia na poprawę humoru!

– Oj, Ditzy – westchnął Pan Pies. – Taka jesteś pazerna na rybę, że nawet przez chwilę nie pomyślałaś, jak to może wpłynąć na innych.

– Ale ja rozdarłam tylko kilka sieci – przekonywała Ditzy. – Tutejsze zanieczyszczenia to przede wszystkim dzieło ludzi.

– Ale wszyscy musimy żyć ze sobą najlepiej, jak umiemy – oświadczył stanowczo Pan Pies. – Przedobrzyłaś z wykradaniem ryb. Hodowcy tracą przez to pieniądze. Próbowali cię powstrzymać, to jednak nie pomogło, więc teraz chcą skończyć z kradzieżami na dobre, ale najpierw skończyć z tobą!

– Myśliwi – wydyszała Lulu. – To dlatego ścigają właśnie nas, foki.

Spojrzała na Ditzy. Ditzy spojrzała na Lulu. Obie spuściły głowy.

– Przepraszam, Lu – powiedziała w końcu Ditzy. – Myślałam, że mam tu foczy raj. Nie chciałam stwarzać tak wielu problemów ani cię skrzywdzić.

– Wiem, że nie chciałaś – odparła czule Lulu. – Przyjaźnimy się. Jesteś moją kumpelką. Brakowało mi ciebie.

– A mnie ciebie – przyznała Ditzy.

– Ale myśliwym nie będzie brakowało żadnej z was! – szczeknął Pan Pies, a sierść na grzbiecie zjeżyła mu się nagle na widok mężczyzny ze strzelbą wychodzącego z zarośli na drugim brzegu rzeki, w pobliżu łowiska.

Mężczyzna znieruchomiał na ich widok.

– A, jest was dwie! – oświadczył, po czym wsiadł ostrożnie do zacumowanej obok łódki.

– Szybko, musimy uciekać – syknął Pan Pies. Gdy się jednak odwrócił, żeby popędzić z powrotem tą samą drogą, ujrzał idącą w ich stronę Alanę z jakimś mężczyzną. I on był uzbrojony.

– O nie! – pisnęła Lulu. – Jesteśmy w potrzasku!

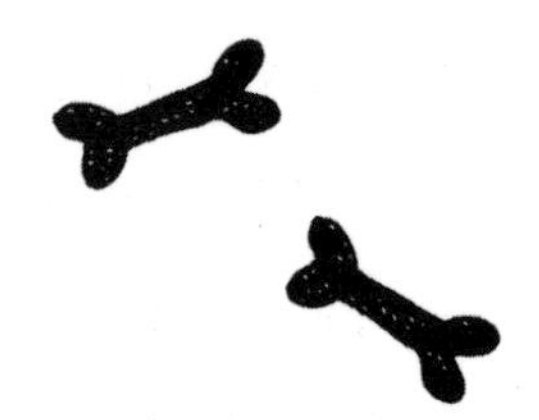

Rozdział ósmy

NIEBEZPIECZNA WYPRAWA

Ludzie podchodzili coraz bliżej, a Pan Pies główkował pospiesznie, co robić.

– Wyłaźcie na brzeg – nakazał fokom. – Pochylcie głowy i idźcie za mną lądem najszybciej, jak umiecie.

Ditzy i Lulu wyszły z wody i czym prędzej potoczyły się za nim. Gdyby sytuacja nie była tak groźna, prezentowałyby się komicznie: dwa podrygujące tłuste serdelki.

– Dokąd idziemy? – wysapała Lulu.

– Słuchajcie, po drugiej stronie torów utworzyła się duża sadzawka z deszczówki – wyjaśnił Pan Pies. – Możecie się tam ukryć, a ja spróbuję odciągnąć uwagę myśliwych.

– Ale im zależy na nas – powiedziała Ditzy. – Psa nie zastrzelą. Mógłbyś im umknąć.

– Bzdura – sprzeciwił się Pan Pies. – Zrobię, co w mojej mocy, żeby wam pomóc.

– Dlaczego? – spytała Ditzy.

– Bo Pan Pies jest odporny na stres. – Pan Pies wyszczerzył zęby. – I wierzy, że możecie się z tego wykaraskać, jeśli tylko nie stracicie głowy.

Mężczyzna w łódce podpłynął już do brzegu. Rozległ się wystrzał.

– Ajaj! – Lulu spieszyła się, jak mogła, ciągnąc za sobą uszkodzoną płetwę. – W miarę możliwości wolałabym jednak głowy nie stracić!

Pan Pies przekroczył tory kolejowe i przemierzył z chlupotem podmokły teren w pobliżu sadzawki, a foki poszły jego śladem.

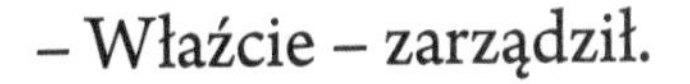

– Właźcie – zarządził.

Ditzy wślizgnęła się do wody, ale Lulu była wyczerpana. Zatrzymała się, żeby zaczerpnąć tchu. Pan Pies rozszczekał się jak szalony, bo znajomy Alany i mężczyzna z łodzi kroczyli już w stronę torów i unosili strzelby…

Nagle, przy wtórze przeszywającego gwizdu i stukotu kół, po szynach przetoczył się z łoskotem pociąg towarowy, tworząc ciężką żelazną barierę między myśliwymi a zwierzętami.

Pan Pies stanął za Lulu i wepchnął ją przednimi łapami do sadzawki. Zsunęła się po mokrej trawie i wpadła z pluskiem do wody.

– Szybko! – zawołała Ditzy, trzepocząc nerwowo płetwami i próbując przekrzyczeć dudnienie kół. – Zrobiłam rozpoznanie. Z tej sadzawki jest tylko kilka kroków do rowu prowadzącego z powrotem do rzeki.

– To znaczy, że możemy wyminąć myśliwych i zawrócić – uświadomił sobie Pan Pies. – Dobra robota, Ditzy. W drogę!

Wskoczył do wody i popłynął popisowym pieskiem obok Lulu. Ditzy

prowadziła,
a on pilnował jej
zmęczonej koleżanki.

Ditzy wyprężyła ciało, poderwała się z sadzawki i weszła do podmokłego trawiastego rowu.

– Juhuuu! – zawołała, zsuwając się do rzeki jak przysadziste tornado.

Pan Pies puścił Lulu przodem. Podkulił łeb i płynął za fokami w stronę porastających brzeg rzeki trzcin i sitowia.

Zwierzaki spływały z nurtem najprędzej, jak umiały. Ditzy krążyła wokół Lulu i Pana Psa i co chwilę ich popędzała.

Trudno było płynąć tak szybko, szczególnie Panu Psu.

– Przepraszam – sapnął. – Muszę odpocząć.

Wdrapał się na brzeg i otrzepał. Położył się na boku, a że właśnie wyszło słońce, rozkoszował się ciepłem promieni.

– Niewiele brakowało – powiedziała Ditzy. – W porcie ludzie strzelają tylko fotki! – Westchnęła. – Niegrzeczne ze mnie stworzenie, co?

– Dałaś się tylko ponieść instynktowi – pocieszył ją życzliwie Pan Pies. – Foki nie umieją się oprzeć rybom. Hodowcy mogliby założyć mocniejsze sieci albo udoskonalić swoje hałaśliwe urządzenia… Ale obawiam się, że łatwiej im zrobić porządek z fokami.

Lulu spojrzała na Ditzy.

– Chyba czas wracać do morza.

– Racja – odparła ciepło Ditzy. – Ale co, jeśli znów napotkamy myśliwych?

Pan Pies skinął łbem.

– Jeśli nie ruszymy w dalszą drogę, Alana i jej koledzy myśliwi na pewno nas dogonią.

– To straszne. – Oczy Lulu stawały się coraz większe. – Przerażające. Zatrważające!

– Proponuję się przemieszczać etapami. – Pan Pies wstał i się przeciągnął. – Dojdę sam do następnego zakrętu, sprawdzę, czy nikogo nie ma, a jeśli nie będzie, to zawyję na znak, że możecie płynąć.

– Będziemy nasłuchiwać – powiedziała Lulu.

Ditzy wynurzyła łeb i przytaknęła.

– Dziękujemy ci, Panie Psie – rzekła i wraz z Lulu dała nura pod wodę.

Pan Pies był obolały od długiego biegu i pływania, ale wierny danemu słowu pobiegł szybkim kłusem na zwiady, a już po chwili zawył, powiadamiając foki, że mogą bezpiecznie przepłynąć. To było długie, męczące popołudnie. Kiedy obok śmignął kolejny pociąg, Pan Pies pożałował, że razem z fokami nie może się przejechać na gapę!

Wieczór zaczynał już skradać niebu blask, gdy Pan Pies spotkał się z Ditzy i Lulu obok prześwitu, tam, gdzie kiedyś wykoleił się pociąg. Przekonał się, że sieć z hodowli ryb nadal unosi się na wodzie, znacząc położenie

zanurzonej paki. Gdyby tylko mógł coś na to poradzić!

– Proszę, Panie Psie, może byś odpoczął? – błagała Lulu.

– Wszystko gra. – Pan Pies padł na ziemię i ziewnął. – Lubię sobie poćwiczyć.

– Złapałam rybę – powiedziała Ditzy. – Naprawdę miałam na nią wielką ochotę, ale…

– Ale czasem dobrze pomyśleć o innych, prawda, Ditzy? – Lulu trąciła ją pyskiem.

– Yyy, tak. – Zarzuciła głową i na brzegu wylądowały kawałki ryby. – To dla ciebie.

– Miło z twojej strony, Ditzy. Dziękuję. – Pan Pies, choć zmęczony, pożarł

łapczywie rybę. – Dobra, sprawdzę lepiej, co nas czeka. Poczekajcie tutaj…

Szedł przez dobre pół godziny albo i dłużej z najszczerszą psią nadzieją, że nic nie stanie im na przeszkodzie.

Ale ta nadzieja okazała się płonna.

Za zakrętem rzeki dojrzał dwóch przykucniętych w trzcinie ludzi. W wieczornym słońcu błysnęła lufa strzelby.

Panu Psu krew zastygła w żyłach ze strachu.

– Myśliwi – warknął. – Kryją się w sitowiu… gotowi zastawić pułapkę!

Rozdział dziewiąty

OSTATNIA NADZIEJA

Pan Pies przeczołgał się w stronę myśliwych z nadzieją, że dowie się, co kombinują.

Doszedł go głos jednego z mężczyzn:

– Biedactwo. Ciekawe, kiedy się tam uwięziło.

– Ostrożnie, nie zrób mu krzywdy – powiedział jego kolega. – O, szyjka butelki jest pęknięta. Spróbuj trochę poszerzyć otwór…

Pan Pies zmarszczył brwi. Co oni, do licha, knują? Przesunął się bliżej i zobaczył, że mężczyźni stoją nad plastikową butelką po soku. Jakiś niewielki gryzoń – nornik albo mysz – wszedł do środka i nie umiał się wydostać.

Nie miał dość miejsca, żeby się obrócić. Jeden z mężczyzn próbował ostrożnie poszerzyć otwór i wypuścić zwierzę na wolność.

– Ale dużo śmieci w tej rzece. – Mężczyzna ze strzelbą pokręcił ze smutkiem głową. – Wiesz co, wolałbym zająć się tym niż próbami powstrzymania głodnej foki…

Jeszcze nie wszystko stracone, koleżko, pomyślał Pan Pies, ponieważ przyszedł mu do głowy pewien pomysł. Kto wie, może jakoś by się dało wszystkich zadowolić?

Wycofał się ostrożnie przez wysokie trawy. Mężczyźni będą jeszcze przez chwilę zajęci. Czy starczy mu czasu na

wykonanie planu? Zaniepokoił go dźwięk silnika zaburtowego, a gdy się odwrócił, zobaczył w oddali niewielką łódkę prującą w górę rzeki, w kierunku ukrytych w sitowiu mężczyzn. Na dziobie miała latarnię. Czy to turyści płyną na wieczorną wyprawę, czy też nadpływają nowi uczestnicy polowania na fokę?

– Nie ma ani chwili do stracenia – orzekł Pan Pies. Nie bacząc na niebezpieczeństwo, popędził jak koń wyścigowy w stronę prześwitu i zatopionej paki, aż spod jego łap umykały owady i osypywały się dmuchawce.

– Ditzy! Lulu! – szczekał. – Jesteście tam?

Głowa Lulu wyłoniła się spod powierzchni wody jak peryskop.

– Można płynąć? – spytała, a obok niej zaraz pokazała się Ditzy.

– Nieprędko – przyznał Pan Pies. – Napotkałem kolejnych myśliwych, a w górę rzeki płynie motorówka.

Lulu nabrała gwałtownie tchu.

– A Alana i jej znajomi na pewno dalej nas ścigają z drugiej strony.

– Już po nas – powiedziała smętnie Ditzy.

– Może nie, jeśli uda nam się odciągnąć ich uwagę – oznajmił Pan Pies. – Myśliwi przed nami pomagali nornikowi uwięzionemu w plastikowej butelce. Słyszałem, jak mówili, że chcieliby coś zrobić ze śmieciami w rzece.

– A kto by nie chciał – wtrąciła Lulu.

– Dajmy im więc taką możliwość. – Pan Pies zbiegł po skarpie i stanął na brzegu. – Ta skrzynia jest pełna plastikowych opakowań… A gdybyśmy im wskazali, że tu leży i jest otwarta?

W ciemnych oczach Ditzy błysnęło zrozumienie.

– Sądzisz, że ludzie przystąpiliby do sprzątania tego bałaganu i przestali nas ścigać?

– Właśnie tak – oświadczył Pan Pies. – Zależy im na tej rzece i na pływających w niej rybach oraz na innych zwierzętach narażonych na niebezpieczeństwo. Myślę, że natychmiast przystąpią do pracy. A gdy będą zajęci sprzątaniem, wy, foki, skorzystacie z zamieszania i uciekniecie. – Zadyszał radośnie. – Wilk syty i owca cała!

– Ale tylko pod warunkiem, że uda nam się wypchnąć pakę z wody – zauważyła Lulu. – Wiesz, że jest dosyć duża i raczej ciężka.

– Tak jak i ja! – pochwaliła się Ditzy. – Dawaj, Lu, spróbujemy ją przepchnąć.

Foki zanurkowały z pluskiem, a Pan Pies popłynął za nimi. Próbował stanąć na dnie i popchnąć pakę przednimi łapami, ale to nie było łatwe. Foki zostały stworzone do życia pod wodą, ale on nie.

Wynurzył się z rzeki, spluwając i prychając.

– Pozostaje mi stanie na warcie – uznał.

Mijały minuty, a foki napierały na skrzynię i próbowały ją wypchnąć. Pan Pies widział cienie ich poruszających się pod wodą postaci. Paka kołysała się w przód i w tył, ale nie drgnęła ani trochę.

W oddali ukazała się nadpływająca z terkotem motorówka.

– Ditzy, Lulu! – Pan Pies szczekał jak szalony. – Nie mamy dużo czasu!

– Nic z tego! – Lulu wyłoniła się z pluskiem na powierzchnię, zadrżały jej wąsiki. – Nie da się przesunąć.

– Zakopała się w mule – dodała Ditzy.

Pan Pies zaczął warczeć na widok odległych świateł latarek podrygujących na brzegu po jego lewej stronie – widocznie mężczyźni ocalili nornika i kontynuowali teraz pogoń za Ditzy i Lulu. A potem latarki zobaczył też po prawej!

– Nie mamy dokąd uciec! – jęknęła Lulu. – Nasz los jest przesądzony!

– Musimy spływać, Lulu – powiedziała Ditzy. – Jeśli zanurkujemy, może uda nam się wymknąć.

– Coraz ich więcej – odparła Lulu. – Dotąd miałyśmy szczęście, ale teraz pętla się zaciska…

– Pętla! – zaskowyczał Pan Pies. – No przecież! Czy sieć bardzo mocno zahaczyła się o pokrywę tej paki?

– Tak – potwierdziła Lulu. – Ale co nam to da?

– Nie możemy przesunąć paki – objaśnił Pan Pies – ale może uda nam się podnieść pokrywę.

– A, już rozumiem, o co ci chodzi – powiedziała wolno Ditzy. – Jeśli rozchylimy pokrywę, będzie wystawała z wody…

– I nie trzeba będzie przesuwać paki, bo myśliwi i tak ją zobaczą! – dokończyła Lulu.

– Otóż to! – Pan Pies zamerdał zamaszyście ogonem. – Ditzy, Lulu, każda z was musi chwycić końcówkę sieci i owinąć ją wokół krawędzi pokrywy. A wtedy wszyscy spróbujemy ją pociągnąć i otworzyć pakę. Szybko, zanim będzie za późno!

Rozdział dziesiąty

TAK SIĘ KOŃCZĄ WYSKOKI FOKI

Pan Pies obserwował zanurzone w wodzie foki. Łódka sunęła już w ich stronę, jakby przyciągnęło ją to zajście. Także myśliwi przyspieszyli kroku.

Ditzy i Lulu wyłoniły się z końcówką sieci w mocnych szczękach i wgramoliły się na brzeg.

– Sieć na miejscu – doniosła Lulu.

– Wspaniale! – odparł Pan Pies i zsunął się do nich po skarpie. – Skoro udało się wyciągnąć sieć, uda się też uchylić pokrywę. Musimy ją szarpnąć ze wszystkich sił, żeby otwarta paka rzuciła

się w oczy. – Chwycił szczękami fragment sieci. – Mmm, uwielbiam tarmosić zabawki!

Lulu i Ditzy zaczęły ciągnąć, a Pan Pies zaparł się przednimi łapami i pomagał im, jak tylko mógł. Pokrywa zaczęła trzeszczeć. No, rusz się, mówił do siebie, tymczasem stojące obok niego foki dwoiły się i troiły, a pokrywa trzeszczała coraz donośniej. Razem damy radę… musimy dać radę!

I wreszcie

TRACH!

Wypaczona pokrywa z naderwanymi zawiasami otworzyła się na oścież.

Pan Pies i foki puścili sieć i potoczyli się do tyłu.

– Sukces! – pisnęła Lulu.

– Dobra robota, koleżanki – wydyszał Pan Pies i przeturlał się na bok. Biała pokrywa sterczała teraz pionowo nad wodą jak wyrzucona przez toster grzanka. – A teraz pod wodę! Nikomu się nie pokazujcie!

– Zrobimy, co w naszej mocy! – przyrzekła Ditzy, po czym obie wśliznęły się jak dwie tłuste kiełbaski z powrotem do rzeki.

Dwie grupy myśliwych zbliżały się teraz do Pana Psa, ale on był zbyt wyczerpany, by się ruszyć. Leżał tylko i ziajał.

– Znowu ten kundel! – Usłyszał męski głos, gdy omiotły go światła latarek.

– To pies Johna Tregeena, tego z wybrzeża. – Pan Pies rozpoznał głos Alany. – Tak, na sto procent.

Zamilkł silnik motorówki i odezwał się niski, znajomy głos.

– Cześć, piesku! A ty tutaj?

Pan Pies poderwał się jak oparzony. Czyżby...?

TAK! Na łodzi siedział John Tregeen, a obok, z latarką w dłoni, Sadiq, członek jego załogi!

Pan Pies wgramolił się na łódź, przywarł do nóg Johna i poszczekiwał radośnie.

– Ale się cieszę, że cię widzę! – wołał.

John przykląkł na kolano i zaczął go głaskać.

– Kiedy Alana mi powiedziała, że widziano cię z fokami i że ścigają je myśliwi, zmartwiłem się i ruszyłem na poszukiwania.

I ja się martwiłem, pomyślał Pan Pies. Nie mógł jednak sprawić, by John to zrozumiał, zadowolił się więc kilkoma liźnięciami.

– Dobrze, że odnalazłeś swojego psa, John – powiedziała Alana. – A teraz zabierz go, proszę, zanim znów nam przysporzy kłopotów.

– Dzięki, że dałaś mi znać, że tu jest, Alano – powiedział John, po czym zmarszczył brwi na widok sterczącej pokrywy paki, na którą padło światło latarki Sadiqa. – A to co znowu?

– Wygląda na wielką skrzynię – powiedział mężczyzna od nornika. – Co w niej jest?

– Zajrzyjmy – odparła Alana. – Plastikowe opakowania?

– Musiała wypaść z pociągu, który się tu wykoleił kilka tygodni temu – wyjaśnił John. – Jeśli to wszystko wypłynie, ekipa sprzątająca plażę będzie miała co robić przez dobry miesiąc!

– A co z fokami? – zapytał niecierpliwie drugi mężczyzna. – Przecież to z nimi mamy się rozprawić.

– Zostawmy teraz foki – powiedział mężczyzna od nornika. – Uciekły, to uciekły. Teraz trzeba wyjąć z wody tę zawalidrogę i wywieźć ją tam, gdzie jej miejsce.

– Pomogę ci – zaproponował John i wyskoczył z wody na brzeg.

Uwaga wszystkich była teraz skierowana na niepożądaną skrzynię – wszystkich, tylko nie Pana Psa. On był zajęty obserwowaniem dwóch ciemnych, obłych kształtów sunących pod wodą i znikających pośród nocy. Sadiq też je dostrzegł, uśmiechnął się i spojrzawszy

na Pana Psa, przyłożył palec do ust, jakby chciał powiedzieć: „Ani mru-mru!".

Jasna sprawa, pomyślał Pan Pies. Taka skrzynia to nic dobrego, ale oni wykonali tego wieczora dobrą robotę – to na bank!

Pan Pies był tak zmęczony, że zasnął na łodzi Johna. Gdy się ocknął i zamrugał powiekami, dosłyszał pomruk silnika – John i Sadiq prowadzili motorówkę w dół rzeki.

John się uśmiechnął.

– Wyglądasz na wykończonego, koleżko. Mnie też zmęczyło wyciąganie z wody tej przeklętej skrzyni. Ale

przynajmniej nie szkodzi już środowisku. Śmieci pójdą do recyklingu i pozbędziemy się ich jak należy.

I całe szczęście, pomyślał Pan Pies. Wystawił łeb i wpatrywał się w ciemność. Ciekawe, gdzie są teraz Lulu i Ditzy... Czy udało im się wrócić do siebie, do morza?

Mijały godziny i łódź dotarła wreszcie do miejsca, w którym rzeka wpadała do morza. Port spowijały ciemności, ale pomost był rzęsiście oświetlony

sznurami białych lampek podrygujących na wiejącym znad morza wietrze. W ich blasku Pan Pies dostrzegł dwa baraszkujące w wodzie, opasłe, szare serdelki. Czyżby…?

– Lulu! Ditzy! – Pan Pies oparł łapy na burcie i szczekał. – Udało wam się! Jesteście całe i zdrowe!

– Teraz już tak, Panie Psie! – odkrzyknęła Lulu. – I wolne. I bezpieczne. I nierozłączne.

– Nauczę Lulu, jak robić pokazy w porcie – powiedziała Ditzy. – Ona umie wspaniale udawać kłodę, wiesz?

– Widziałem – szczeknął Pan Pies.

– Przypuszczam, że w duecie dostaniemy więcej przeróżnych kąsków – rzekła Lulu. – I jestem pewna, że Ditzy nawet się nimi podzieli z co bardziej nieśmiałymi fokami…

– Pewnie tak – zgodziła się niechętnie Ditzy.

– Wy to się dobrałyście jak w korcu maku. – Pan Pies wyszczerzył zęby. – Powodzenia!

John obejrzał się i zaśmiał.

– Cieszę się, że Ditzy wróciła – powiedział Sadiqowi. – Miejscowi za nią

przepadają, a gdy turyści się dowiedzą, zjadą do nas, by jej wypatrywać. Chyba sprzedamy więcej ryb niż zwykle. – Uśmiechnął się. – Czy to nie było zabawne, gdy pies szczekał na foki, a one mu odchrząkiwały? Można by prawie uwierzyć, że ze sobą rozmawiają…

Mężczyźni zarechotali, a Pan Pies tylko uśmiechnął się pod nosem. Wiedział, że jego misja w miasteczku dobiegła końca.

John przykucnął przy swoim psim towarzyszu.

– Wiesz co, kolego? Coś mi się zdaje, że twój prawdziwy dom jest gdzieś w szerokim świecie. Tobie zależy na szukaniu nowych przyjaciół i kolejnych przygód… Mam rację? – Uśmiechnął się

i podrapał Pana Psa po karku. – Ale zanim znów ruszysz w świat, może byś odpoczął u mnie przez kilka dni i dał się trochę podkarmić, co? – Wyciągnął rękę. – Umowa stoi?

Umowa stoi, zacny człowieku! – pomyślał Pan Pies.

Wystawił z powagą łapę, John ujął ją i uścisnął, a gdzieś daleko w porcie Lulu i Ditzy zatrąbiły z aprobatą.

No dobrze, pomyślał Pan Pies. Wyskoki foki dobiegły końca. Trochę odpoczynku, mnóstwo jedzenia, a potem ruszam dalej!

SŁOWO OD AUTORA

Zawsze przepadałem za fokami. Pierwszy raz zobaczyłem je na wolności podczas niełatwego rejsu łodzią na odległą szkocką wyspę Eigg, na Hebrydach Wewnętrznych. Była Wielkanoc i fale wznosiły się pod niebo. Miałem ledwie dziesięć lat i wszystko to trochę mnie przerażało... dopóki nie zobaczyłem wystających ze wzburzonej wody czarnych pyszczków z paciorkowatymi ślepiami. Gdy wzrok mi się przyzwyczaił, wypatrzyłem ich dziesiątki. I tak zrodziła się moja nieprzemijająca miłość do fok.

Gdy mieszkałem przez rok na wyspie Taransay, Inca, moja labradorka, uwielbiała wskakiwać do lodowatych hebrydzkich wód i bawić się w chowanego. Zauważyliście kiedyś, jak bardzo foki przypominają labradory? Czasem nie umiałem odróżnić jednego od drugiego. Najbardziej jednak zapadł mi w pamięć Nelson, słynna jednooka foka z Looe w hrabstwie Devon, której dzieje zainspirowały mnie do umieszczenia w rozdziale pierwszym wzmianki o pomniku foki. Przez ponad dwadzieścia pięć lat

Nelson pozostawał najbardziej znanym mieszkańcem Looe i często widywałem go w porcie. Rybacy rzucali mu ryby, a turyści przyjeżdżali go oglądać. Gdy umarł, w mieście zapanowała taka żałoba, że dla uczczenia jego pamięci wzniesiono pomnik z brązu. Foki mają to do siebie, że tymi swoimi wielkimi, smętnymi oczami potrafią zajrzeć człowiekowi w głąb duszy, tak jak robi to Lulu w tej opowieści. Nigdy nie przestanę kochać fok. Przypominają mi o moim bezpiecznym dzieciństwie.

Jak pomóc rozwiązać problem plastiku?

Plastik zaśmieca nasze morza i zagraża życiu milionów stworzeń morskich na całym świecie. Foki to ciekawskie stworzenia, które przez nieuwagę mogą napotkać na swojej drodze zagrażające im sieci rybackie, plastikowe odpady i porzucone śmieci. Wszyscy musimy mieć swój udział w ochronie tych zwierząt i dbać o czystość oceanów.

W miarę możliwości staraj się nie używać jednorazowych wyrobów z plastiku. Nie bierz plastikowych słomek i poproś rodziców, żeby chodzili na zakupy z własnymi torbami. Jeśli musisz korzystać z plastiku, zawsze po sobie sprzątaj. Gdy wybierasz się na plażę lub do parku, nie rzucaj śmieci na piasek ani na trawę! Poszukaj kosza na tworzywa sztuczne, a jeśli nie możesz go znaleźć, weź śmieci do domu i tam je posortuj. Z przetworzonego plastiku można wyrabiać odzież, obuwie i wiele innych przedmiotów, co jest o wiele korzystniejsze niż posyłanie go do oceanu.